fish

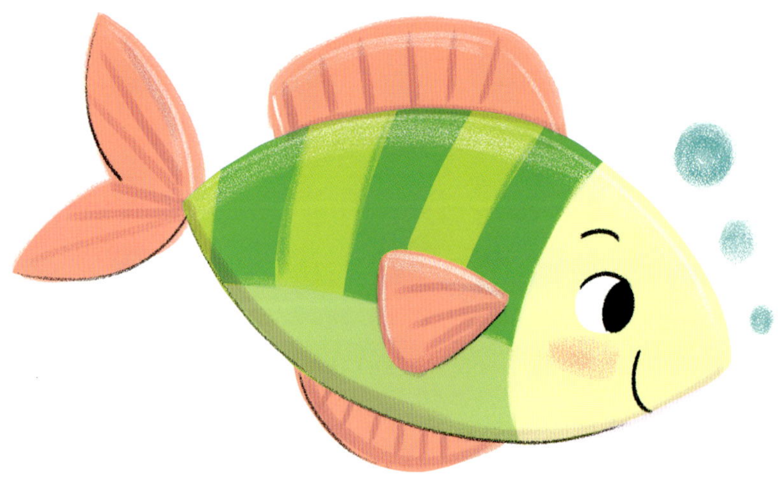

f

i

sh

yam

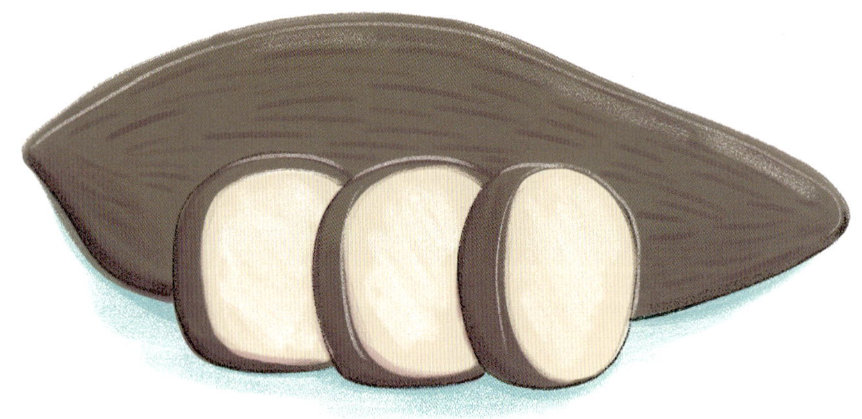

y a m

thorn

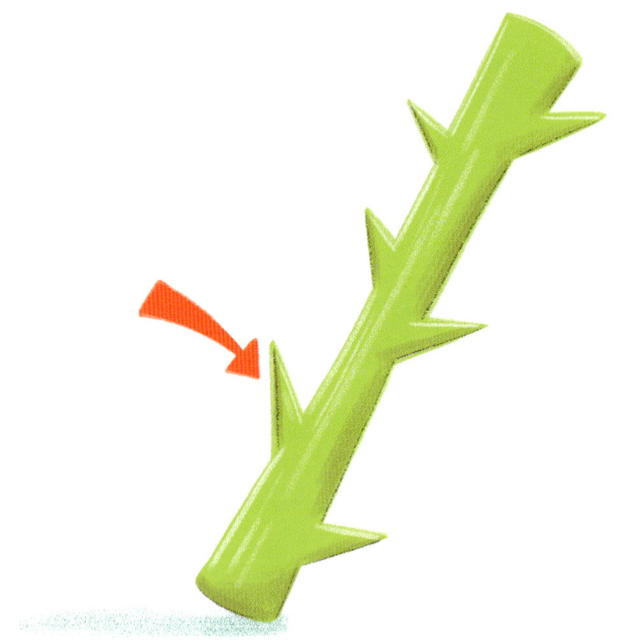

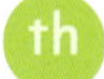
th

or

n

box

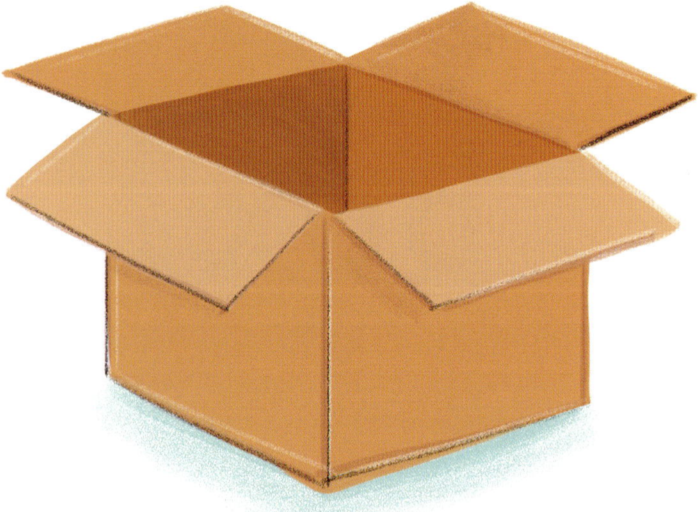

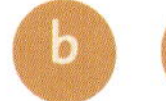
b
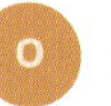
o
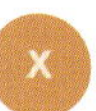
x

tooth

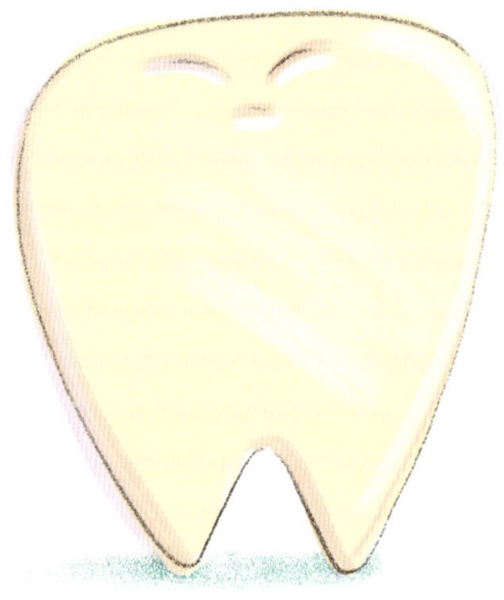

t

oo

th

chimp

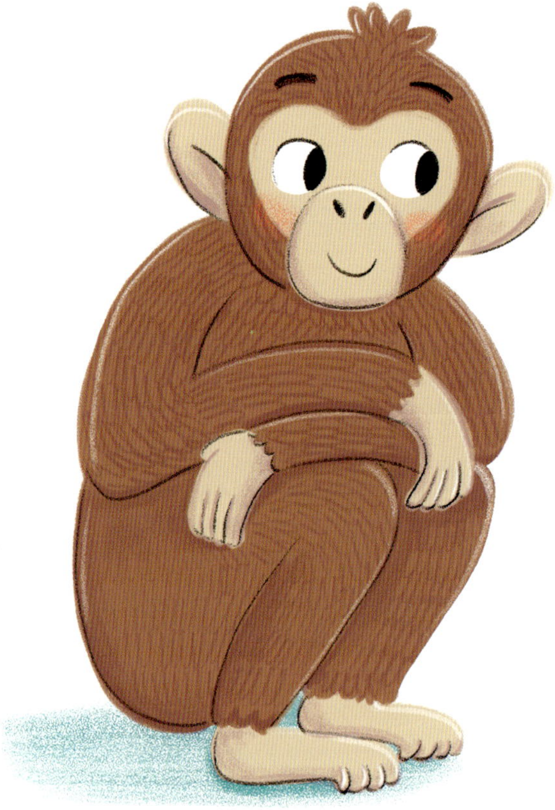

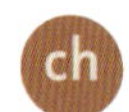
ch
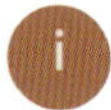
i
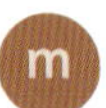
m
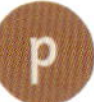
p

shelf

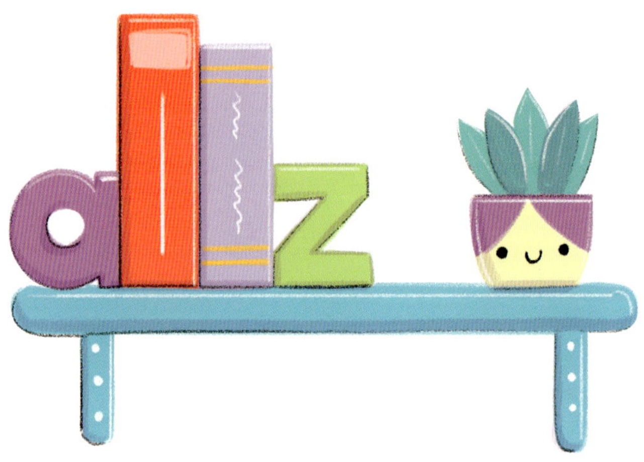

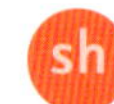
sh

e
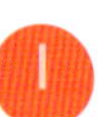
l

f

sandwich

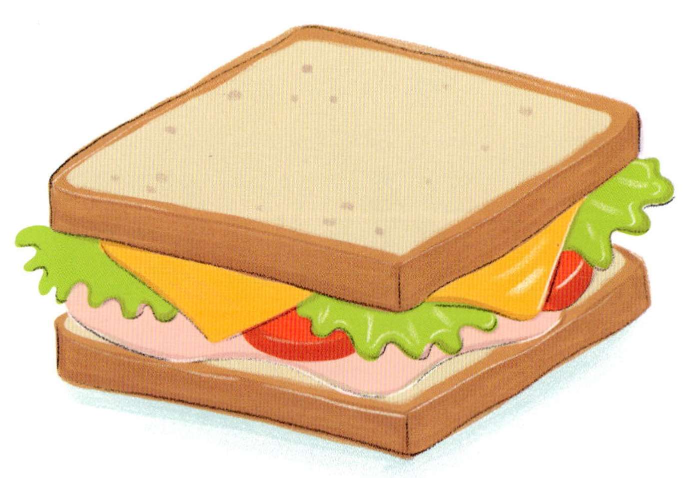

s
a
n
d
w
i
ch